Horóscopo Serpiente 2024

Angeline A. Rubi y Alina A. Rubi

Publicado Independientemente

Autoras: Angeline A. Rubi y Alina A. Rubi

E-mail: rubiediciones29@gmail.com

Edición: Angeline A. Rubí

rubiediciones29@gmail.com

Introducción

El calendario chino es antiguo y complejo, y nunca ha sido simplificado. Muchas culturas sustituyeron el calendario Lunar por el calendario del Sol.

El calendario chino, islámico y hebreo, se rigen por las fases lunares. Es un sistema complicado ya que no solo se rigen por los ciclos lunares, sino que incluyen también el ciclo solar, el de Júpiter y Saturno.

Los chinos consideran que la energía universal está regida por el equilibrio. El concepto de Yin y Yang es el más importante dentro de ese equilibrio. Yin es opuesto a Yang y viceversa, pero juntos alcanzan el equilibrio total. Esta energía la podemos encontrar en todo lo que existe, lo tangible y lo intangible.

El simbol del Ying/Yang se divide en dos mitades, una es negra (Yin) y la otra blanca (Yang). Ambas partes están unidas en el medio por una elipse que las enlaza constituyendo una curva. Sus colores, negro y blanco significan que existe la dualidad, y que para que subsista una, innegablemente tiene que existir la otra. Dentro del Yin hay un círculo Yang, que simboliza que la oscuridad siempre requiere de la luz. Dentro del Yang encontramos un círculo Yin, indicándonos que dentro de la luz siempre encontraremos oscuridad.

La elipse que los une significa que todo fluye, se transforma y evoluciona. Si existe un desbalance de cualquiera de estas dos energías, Yin o Yang, nuestra vida no está equilibrada, ya que juntas se fortalecen. Nunca debemos pensar que una energía es superior a la otra, ambas deben concurrir equitativamente.

Desafortunadamente en nuestra sociedad existe una tendencia a favorecer la energía Yang, pensando que sus características son las más significativas. Al hacer esto creamos una división entre el plano espiritual y material, pues al reducir el valor de la energía Yin somo menos reflexivos pensando que la susceptibilidad es algo negativo, pues implica fragilidad.

Lo mismo sucede con la oscuridad, no solo la evitamos, sino que tenemos miedo de ella. Ambas energías son importantes. Solo podemos ser seres espirituales cuando hay un equilibrio entre el Yin y Yang porque no solo eres luz, sino también oscuridad. Es un error valorar y privilegiar lo fuerte, o la acción. Debemos apreciar y valorar lo femenino, y la sensibilidad, ya que solo de esa forma podremos alcanzar el verdadero equilibrio de nuestro ser, desde una posición de amor y firmeza.

En los signos del zodiaco chino están presentes la energía Yin y Yang, y ellas son las que estipularán las características de cada animal, y los elementos asociados a estos.

La energía Yin se vincula a lo oscuro, frío, femenino, la abstracción, lo profundo y la Luna. Los signos Yin son pensativos, sensitivos, y curiosos. Ellos son el Buey, el Conejo, la Serpiente, Cabra, el Gallo y Cerdo.

La energía Yang está relacionada a la luz, lo caliente, la superficialidad, el Sol y el pensamiento lógico. Son signos impulsivos, y materialistas. Ellos son: la Rata, el Tigre, Dragón, Caballo, Mono y Perro.

Las energías Yin y Yang se relacionan con los elementos, que a la vez estarán derivándose de los años en que estos sucedan. Cada elemento posee energía Yin y Yang.

- Los años que terminan en el número **0** su elemento es el Metal, y están relacionados a la energía Yang.
- Los años que terminan en el número**1** su elemento es el Metal, y están relacionados a la energía Yin.
- Los años que terminan en el número **2** su elemento es el Agua, y están relacionados a la energía Yang.
- Los años que terminan en el número **3** su elemento es el Agua, y están relacionados a la energía Yin.
- Los años que terminan en el número **4** su elemento es la Madera, y están relacionados a la energía Yang.
- Los años que terminan en el número **5** su elemento es la Madera, y están relacionados a la energía Yin.
- Los años que terminan en el número **6** su elemento es el Fuego, y están relacionados a la energía Yang.

- Los años que terminan en el número **7** su elemento es el Fuego, y están relacionados a la energía Yin.
- Los años que terminan en el número 8 su elemento es la Tierra. y están relacionados a la energía Yang.
- Los años que terminan en el número **9** su elemento es la Tierra. y están relacionados a la energía Yin.

Predicciones Generales para el Año del Dragón

El 10 de febrero del 2024 comienza el sensacional Año del Dragón de Madera Verde, y de acuerdo con la astrología china, el verde simboliza la vida, los cambios y el crecimiento.

El planeta asociado es Júpiter, un planeta que es muy beneficioso; recogeremos los frutos sembrados en el año 2023.

El Año del Dragón en 2024 nos traerá suerte, prosperidad, bienestar y progreso. Tendremos muchas oportunidades de crecimiento y transformación, pero también retos y complicaciones, acentuando la necesidad de perdonar, ser empáticos y tomar de decisiones pacíficas.

Durante los años que el elemento es la madera, la vida premia a las personas que sociables y profesionales. Obtener un título, o viajar son algunas de las posibilidades este año.

Tendremos la oportunidad de desarrollar nuestras habilidades de liderazgo, este es un año para nuevos comienzos y para crear estructuras que duren a largo plazo.

Este año del Dragón es favorable para el cambio y el crecimiento ya que la energía del dragón de madera posee la capacidad de inspirar nuevas ideas y exaltar nuestra imaginación.

Vamos a vivir algunas etapas que estarán llenas de dificultades, pero esos son los momentos que debemos utilizar la energía del dragón para poder tener éxito y vencer los desafíos.

En el transcurso del año no olvides que el dragón personifica el cambio y la adaptabilidad, características que nos ayudarán a crecer y renovarnos.

El año 2024 será un año atareado con posibilidades de evolucionar, viviremos muchos conflictos políticos, económicos, en las relaciones y el medio ambiente, resaltando que las soluciones pacíficas son la respuesta a cualquier problema.

Este año nos estimulará para hacer nuevos negocios y desarrollarnos en el mundo empresarial porque la energía del Dragón, y sus cualidades de tener coraje y ser ambicioso, nos inspirarán.

Desarrollaremos muchas capacidades de adaptación, y la paciencia y la perseverancia nos permitirán superar todas las adversidades y avanzar hacia el triunfo.

Este también es un año propicio para trabajar en nuestro crecimiento espiritual, es muy importante mantenernos enfocados en nuestras metas.

En resumen, será un año de cambios positivos y avances significativos en nuestra vida donde tendremos la oportunidad de encontrar el amor, fortalecer una relación, y tener prosperidad económica y espiritual.

Origen del Horóscopo Chino

El horóscopo chino es una tradición de más de 5000 años, y está basado en los años lunares.

La leyenda cuenta que Buda llamó a todos los animales, no obstante, sólo doce asistieron a su convocatoria en el siguiente orden: la rata, el Buey, el tigre, el conejo, el dragón, la serpiente, el caballo, la cabra, el mono, el gallo, el perro y el cerdo.

Cada animal recibió como regalo un año, formándose el ciclo de doce años que utiliza la astrología china. Por ende, cada signo tiene un nombre de un animal, y a cada animal le corresponde un año.

A cada animal también se le asignó uno de los cinco elementos que se corresponden con las energías planetarias:

- agua (Planeta Mercurio)
- metal (Planeta Venus)
- fuego (Planeta Marte)
- madera (Planeta Júpiter)
- tierra (Planeta Saturno)

El Horóscopo chino expresa la analogía de las energías cósmicas con cada individuo. Por esa razón la energía de cada persona
está representada por uno de los doce animales que forman este sistema zodiacal.

Cada animal y la energía que te corresponde está determinada por tu fecha de nacimiento. Estas energías definen tus comportamientos, y como percibes el mundo. Para los chinos estos signos simbolizan las particularidades más notables de nuestro carácter. Para entender adecuadamente el significado de los animales tenemos que verlos como símbolos espirituales.

El Horóscopo Chino no está basado en el ciclo solar, sobre el que se fundamenta el horóscopo occidental. Está basado en los ciclos de la Luna. Cada año lunar tiene doce lunas nuevas y cada doce años una decimotercera, por tanto, un año nuevo nunca coincide con la fecha del año anterior.

Los doce animales del horóscopo chino influencian en la vida, suerte y voluntad de todos los seres humanos. Estas cualidades no se manifiestan abiertamente en la vida diaria, pero siempre están presentes, actuando en forma de fuerzas ocultas.

El período chino de doce años está vinculado con el tránsito del planeta Júpiter, y cada año lunar chino en la astrología occidental se corresponde casi al tiempo de duración del tránsito de Júpiter por un signo zodiacal. Júpiter se halla siempre en el signo de la astrología occidental que tradicionalmente se corresponde con el animal del horóscopo chino.

Elemento Chino del Año 2024, la Madera

El elemento del año 2024 es la madera. La madera es un elemento creativo. Si este elemento te corresponde por tu año de nacimiento debes canalizar estas energías creativamente.

La madera simboliza la compasión y tolerancia. Si deseas aprovechar estas energías es importante que te rodees de plantas naturales, flores y objetos de color verde durante todo el año.

La madera es un elemento relacionado con la capacidad de proyectar y tomar decisiones, por ende, el año 2024 será un año de desarrollo, evolución y florecimiento.

Este elemento se relaciona con la digestión, respiración, el corazón y el metabolismo, y en la medicina tradicional china, garantiza un flujo energético continuo. En relación con los sentimientos esto se traduce a la expresión correcta de nuestras emociones.

La madera nos ayudará a adquirir conciencia y a comprender la realidad objetiva durante el 2024. Nos aportará firmeza y empatía en nuestras relaciones.

La madera al estar relacionada con nuestra personalidad nos aportará la dosis adecuada de entusiasmo, poder de decisión y dinamismo para poder emprender acciones y afrontar todos los retos de este año.

La madera es el elemento que necesitamos este año para poder tomar las decisiones necesarias, para cambios que son imprescindibles.

Gracias a este elemento contaremos con las estrategias adecuadas y la capacidad de organizar y mantener el control sobre todos los procesos, pero también mantendremos la flexibilidad. metabolismo.

Aunque este es el elemento del año 2024 si tienes un negocio y quieres que prospere y tener abundancia económica debes tener en cuenta los otros elementos.

En los negocios **el elemento Agua** es el más importante porque es el que representa la abundancia, la riqueza, el poder y capacidad de administrar, acumular y ahorrar tu dinero.

El Agua no puede estar estancada. No debe estar en un jarrón si no se cambia el Agua todos los días, ya que dejarla estancada obstaculiza las ganancias y aleja a los clientes.

El Agua tiene que fluir para que fluya el dinero. Si tienes una piscina debe limpiarse, y si posees una fuente debe de cumplir el ciclo de entrada y salida de esta. En una pecera debe estar en movimiento y oxigenada. En las tuberías debe correr, por lo menos una vez al día hay que dejar que fluya abriendo la llave de paso.

Todo negocio, debe tener el elemento Agua en movimiento, de lo contrario no acumulará bienes ni avanzará.

Aunque solo sea una pequeña pecera, o un recipiente al se le cambie el agua todos los días.

El Agua debe estar a la entrada del negocio o en la zona Norte, o al Noroeste de este, donde se guarde el dinero o donde se realice la administración del negocio.

El elemento Fuego en un negocio, debe estar colocado en el Sur del local.

Puede ser la entrada, el final o a los lados de este. Pero si se trata de un negocio de comida puede estar en cualquier lado.

El Fuego simboliza la popularidad y el tipo de abundancia que no se acumula, por ende, hay que recurrir al Agua en el lado opuesto al Fuego, porque el Fuego atrae a la clientela, y el Agua mantiene el flujo económico.

El elemento Tierra es primordial, porque es la base donde se sostiene todo.

Dos recipientes decorados que contengan flores secas, o un pedestal de piedra pueden simbolizar el elemento Tierra.

La Tierra debe estar presente en la construcción, pero también en el centro del local, o situada en el Sureste ya que es donde mejor se expresa. La Tierra da seguridad, pero debe acompañarse del Fuego en el Sur y el Agua en el Norte.

La Tierra es estable, moldeable, y el reflejo de todo el planeta.

Si deseas un negocio solamente para sobrevivir y con cuidar el elemento Tierra es suficiente.

El elemento Metal es muy dinámico y activo, con múltiples posibilidades en los negocios. En el pasado en China, el Metal era considerado el oro.

El elemento Metal representa fuerza y poder, continuidad, seguridad y riqueza,

Su posición es el Oeste, y no olvides que el Metal fortalece cualquier posición de entrada y salida de un negocio, junto con el cristal.

El elemento Madera es la base de la construcción, a pesar de su fragilidad.

La Madera debe colocarse en el Este del negocio, pero es aconsejable colocarla diametralmente al Metal.

El Metal en el Oeste, la Madera en el Este, el Fuego en el Sur, el Agua en el Norte y la Tierra en el centro, para que tu negocio sea siempre exitoso.

Significado de los Elementos en el Horóscopo Chino

Elemento Metal

Las personas que nacieron en los años que terminan en 0 o 1 en el horóscopo chino están categorizadas dentro del elemento metal. El metal, materia de la que están confeccionados los escudos y las espadas, es el elemento que simboliza la firmeza, y la honestidad, pero también la severidad.

El Metal es el elemento del otoño, estación de la recolección y abundancia. Es dual como las funciones de su elemento, ya que en forma de espada liquida, y de cuchara alimenta. El Metal procede de la tierra, es dominado por el Fuego y transfigura la madera.

La personalidad de estos individuos que pertenecen al elemento metal tiene una tendencia a ser fuertemente ambivalente. Ellos se desenvuelven mejor cuando están solos ya que así no tienen que rendirle cuentas a nadie.

Son decididos, forjadores de su destino, tercos, profesionales e indiferentes a cualquier intento de compromiso. Su libertad es lo primordial, y es inútil intentar presionarlos, y mucho menos ayudarlos, porque no escuchan a nadie y no aceptan intrusiones e impedimentos. Eligen contar sólo consigo mismo, y no se dejan impresionar por nadie, ya que son poderosos y están capacitados para ejecutar grandes trabajos.

Para ellos no existen dificultades que los detengan, y aunque una situación se torne insostenible ellos resisten hasta el final. Son ambiciosos y calculadores, aman el dinero, poder y éxito, y no escatiman en los medios para alcanzar sus propósitos, aunque eso signifique romper relaciones.

Están diseñados para las carreras que les faculten expresar su elemento: joyeros, financieros, seguros de cualquier tipo, cerrajeros, mineros, cirujanos, y para cualquier contexto que les permita distinguirse de los demás. También pueden obtener éxito en profesiones conectadas con la madera o el papel. Le resultarán beneficiosas las relacionadas con el agua, las que tienen relación con la tierra pueden causarles conflictos y deben alejarse de aquellas que se relacionan con el elemento fuego.

No les interesan los sentimientos, y no se conmueven por las dificultades de los demás, hasta el punto de llegar a manipularlos si con eso pueden obtener alguna ventaja. Los que sufren las consecuencias son específicamente las personas del elemento madera, ya que los manipula y somete con agresiones frontalmente. Sin embargo, las personas del elemento agua, como son receptivas reciben un empujón efectivo que les beneficia enormemente. Los únicos que realmente pueden doblegarlos son los individuos que pertenecen al elemento Fuego, ya que dominan su insensibilidad y su severidad con una contagiosa emoción.

Físicamente puedes reconocer a una persona del elemento metal por su mirada tristona y el color anémico de su cara. Es frágil, propenso al estrés, y puede verse afectado por los cambios de temperaturas, y de una nutrición escasa. Esa es la razón por la que deben estimular su apetito, enfatizando los comidas que tengan picantes.

La estación más favorable para ellos es el otoño, y durante la misma puede desarrollar al máximo sus potencialidades, aunque eso no significa que deba excederse, o ser testarudo. Debe usar ropas blancas, y utilizar como amuleto metales, y cuarzos blancos.

El Metal es rígido y tajante, no le teme al peligro. Es un tipo de persona independiente, que, animada por la codicia, procede con perseverancia, se concentra en el éxito, planifica por adelantado, y detesta lo espontáneo.

Una vez que adopta un camino no lo cambia. A pesar de su insensibilidad externa las personas de este elemento irradian un magnetismo que lo perciben todos con quienes se conectan. No obstante, para beneficiarse de sus habilidades, deben aprender a ser menos dogmáticos ya que esto interfiere en sus relaciones.

Las personas nacidas bajo el elemento metal deben educarse, para que puedan expresar sus emociones. Si no lo hacen sentirán que disminuyen sus energías.

Elemento Tierra

Las personas que nacieron en los años que terminan en los números 8 o 9 pertenecen al elemento tierra. A este elemento le corresponden las características de la firmeza, persistencia y fecundidad. Aunque en la astrología china, la Tierra no tiene una estación propia, se relaciona en el calendario con las últimas dos o tres semanas de las otras estaciones.

La Tierra es el elemento que representa la estabilidad, y lo tangible, pero si existe un exceso transforma a las personas en cautelosas, recelosas y testarudas, restringiendo sus iniciativas y fantasías.

La persona del elemento tierra es paciente y humilde, siempre trabaja con constancia, sin otorgarse un instante de regocijo o desorden. No se cansa nunca, y puede ser tan afanoso y materialista, como ingenuo y prudente. Su característica más incuestionable es su desánimo acentuado. Es demasiado serio, le encanta planificar y dirigir, se siente horrorizado por las casualidades, y, aunque es inteligente y tiene una memoria excepcional, le molesta mostrarse resplandeciente.

Infatigablemente reflexivo, ambicioso y angustiado, se expone de esta forma a recargar el bazo, un órgano relacionado con este elemento, y que se debilita cuando la persona tiene una mentalidad aguda.

La persona que pertenece a este elemento cimienta las relaciones personales paulatinamente, pero perdura por mucho tiempo. Es muy devoto y defensor en el amor, siempre listo a contraer y cumplir sus responsabilidades, y aunque no es demostrativo en sus emociones es un hombro con el que siempre se puede contar porque estará a tu lado en los momentos que lo necesites.

En su trabajo son serios y de carácter retraído, pero también organizados, y de confiar. Son las personas indicadas para llevar los negocios con una moralidad, austeridad y honradez a prueba de fuego. Su raciocinio los hace ser insuperables intermediarios en los problemas, contribuyendo con sus propias salidas prácticas y oportunas. Es competente para profesiones que requieran destreza, pero que no involucren tomar iniciativas, o situaciones de liderazgo.

Aunque no es una persona fácil de soportar, por lo caprichosa y nostálgica que es, y por su incompetencia de ser alegre, se conecta bien con el elemento metal, al que inculca estabilidad, y con el agua, al que logra contener y gobernar diestramente.
Usualmente tiene conflictos con el elemento madera, ya que, aunque la protege en ocasiones también la sofoca, y con el Fuego, que lo impulsa tanto como lo debilita.

El elemento tierra, se relaciona con el planeta Saturno. Debe ser muy cuidadoso con él consumo de dulces, algo que le encanta, ya que es afín con su elemento. Deben escoger siempre el dulce natural, y limitar el uso de azúcar blanca ya que esto destruye el calcio de su sistema óseo. Su otro punto débil es el sistema digestivo, que suele castigarle fuertemente, por esa razón debe conservar una dieta liviana y de cómoda digestión. Es recomendable que busque el contacto directo con la madre Tierra, caminando descalzos por la arena o en el campo.

Su color de la suerte es el amarillo, y sus cuarzos el topacio, y la citrina.

La Tierra representa la riqueza, sensatez, el materialismo, y la seguridad. Estas personas suelen ser introspectivas lo que les hace tener una gran capacidad de raciocinio. La Tierra es el recipiente de la vida y esto sella de forma imborrable a los nacidos bajo el influjo de este elemento, ya que son personas estables en quién puedes delegar.

La tierra se alimenta del fuego, generando una gran energía que calienta y funde al metal, puede llegar a someter al agua, y ser consumida por la madera.

Para sentirse bien, la persona del elemento tierra necesita seguridad material, aunque hay que destacar que es hacendoso, formal y organizado. Se le puede recriminar por ser pretensioso, pero por sus méritos ellos avanzan hacia sus metas lentamente, obteniendo resultados estables.

Elemento Fuego

Las personas que nacieron en los años que terminan en 6 o 7 se corresponden con el elemento fuego. A este elemento le pertenecen la pasión, la valentía y el liderazgo. El elemento fuego es el elemento de la estación del verano, donde todo fructifica y llega a su consumación. Está relacionado al planeta Marte, beneficioso, pero en ocasiones impulsivo. Es desmedidamente estéril y simboliza a la persona que sobresale, pero también que maltrata de los demás. Combativo, vanidoso, e irritable, la persona de este elemento pasa del enojo al júbilo desenfrenadamente.

Desde niño tiene una personalidad de líder, la ambición está presente en su vida, le gustan los peligros, la risa, el entusiasmo y el conflicto. Las dificultades en vez de amilanarlo lo incitan a proceder, y en estos casos sufren una metamorfosis violenta.

Estas personas nacieron para vencer, pero no saben admitirlo, porque no alcanzan a observarse y explotar sus energías. Geniales en el área militar, el deporte, y como jefes, ya que los demás perecen ante su carisma. Saben cómo utilizar las energías del elemento madera, utilizando su genialidad a su servicio, e induce en las personas del elemento tierra el coraje vital para seguir avanzando.
Las personas del elemento agua tienden a extinguir su pasión, y las del metal los colocan a prueba con una rigidez que drena su campo energético.

El órgano más fácilmente dañado en estas personas es el corazón, existe la posibilidad de que sufran taquicardias. Además, pueden sufrir de los oídos, y el intestino. Deben usar ropas de colores vivos, entre los que prevalezca el rojo, y también usar como amuletos los cuarzos como granates y hematitas. También debe utilizar incienso y velas.

Desprendidas, apasionadas y oportunistas estas personas tan carismáticas, se comunican bien y se centran en la acción. Su egoísmo y deseos de triunfar son incalculables y sólo confían en sus propios puntos de vistas. Tienden a descuidar los detalles ya que a veces son testarudas y se embarcan en metas que requieren trabajos intensos.

Las personas nacidas bajo la influencia del elemento fuego son positivas, siempre dan lo mejor y se implican en todo lo que hacen con amor y con voluntad. Sus energías sirven para sustentar a quienes están en su entorno y carecen de ella.

El fuego calienta el hogar, nos permite preparar los alimentos. Este elemento nutre la tierra a través de las cenizas, se alimenta de leña seca, es decir la madera, su calor domina el metal, es decir, lo hace flexible, y solo puede ser dominado por el agua.

Un líder siempre tiene abundancia del elemento fuego y siempre se inclina a tomar decisiones rápidas. Le atraen las ideas poco convencionales, no le teme al peligro, y siempre está en movimiento. Es importante que aprenda a tener inteligencia emocional, porque la arrogancia puede fortalecer su egoísmo y hacer que sea incontrolable, específicamente cuando tropieza con obstáculos. Este estilo autodestructivo es principalmente sobresaliente en la juventud.

El éxito acompaña a las personas del elemento fuego, pero ellos deben tener mucha cautela con la inestabilidad y la inquietud, que son las insuficiencias más usuales de los nacidos bajo el fuego. Es mejor dominar estos defectos, para no ser esclavizados por ellos. Deben buscar un lugar tranquilo donde puedan estar en paz, y la meditación también les aportará equilibrio.

Las personas del elemento fuego son tenaces, y lucrativas.

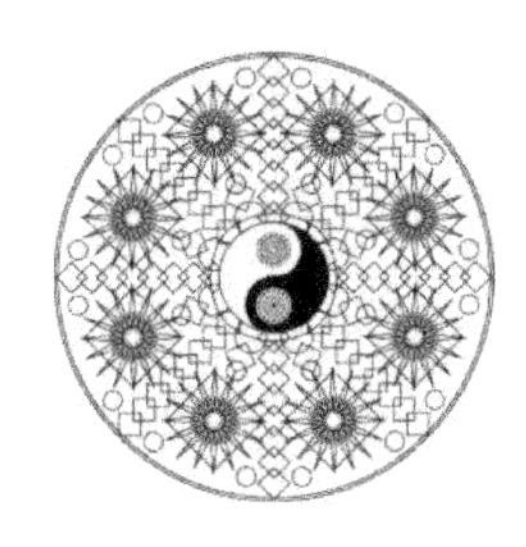

Elemento Madera

Las personas que nacieron en los años que terminan en los números 4 o 5 pertenecen al elemento madera. La madera es el elemento que simboliza la armonía, belleza, y creatividad. Tienen un grado de confianza en sí mismas muy alto, y una voluntad de hierro, lo cual las convierte en las personas apropiadas a la hora de luchar por una causa justa.

La madera se relaciona con el planeta Júpiter, es el más beneficioso de los elementos, símbolo de permanencia y conocimientos. Adaptable, se dobla cómodamente, y tiene
múltiples usos, caracterizando a las personas comunicativas, dadivosas y honestas.

Las personas del elemento madera, son creativas, y vitales, pero algunas veces son dispersas e incapaces de encontrar su camino y cumplir sus propósitos. Confían en los demás hasta la inocencia, y les gusta codearse con todo el mundo, descubrir siempre cosas nuevas para divulgar y satisfacerse. Le atraen la naturaleza, y los niños, y le da prioridad a la familia.
Ocasionalmente tiende a tener expectativas imposibles, y tienen la costumbre de menospreciar su cuerpo, se excede con las comidas y se deja envolver por la pasión y la sensualidad.
Acostumbran a elegir parejas del elemento agua, de quienes absorben audacia y apoyo, y de los de fuego, a los que benefician suministrándoles sus ideas brillantes.
No se lleva muy bien con el elemento metal, que lo arruinan sin clemencia.

El elemento Madera se reconoce por el color verdoso. Estas personas deben cuidarse los ojos.

Con la madera se construyen refugios, por eso nos protege. La madera coincide con la creatividad del agua, y gracias a esa cualidad entienden y ayudan a los demás.

Los nacidos bajo el elemento madera tienen conflictos internos para someterse a las reglas y tradiciones donde el criterio severo está constantemente vigente. Este elemento nutre el agua y, a la vez, es combustible para el fuego. Su energía la aspira la tierra, y es subyugada por el metal.

Las personas del elemento madera siempre obtienen grandes triunfos, y tienen una estructura codiciada. Sus vocaciones son versátiles. Ellos le conceden mucha importancia a la integridad, esforzándose por encontrar un lugar permanente en la vida. Creer en el éxito, y su capacidad de análisis le dan la coyuntura de afrontar los problemas más complejos sin titubear. Con un poder de convencimiento increíble, funcionan en muchas áreas, ya que siempre tienen como propósito el desarrollo y la transformación.

Su voluntad natural los ayuda a avanzar, y siempre encuentran respaldo y el capital necesario, ya que las otras personas cuentan con su capacidad para transformar ideas en riqueza.

Su principal obstáculo es llevar las cosas al extremo. La ira, y el coraje contenidos afectan absolutamente de forma negativa las energías de este elemento. Estar cerca de los árboles, y tocarlos equilibra el elemento madera.

En el trabajo, los individuos que pertenecen al elemento madera son ordenados, inteligentes e ingeniosos. En las actividades comerciales, son más fructíferos cuando el trabajo es en equipo, y está bien estructurado.

Ninguna área de trabajo relacionada con su elemento es desfavorable, pero las afines con el fuego pueden afectarlo en cierta medida, y las que se relacionan al metal los arruinarán.

Elemento Agua

El elemento más insensible y tenebroso, afín a el invierno, la longevidad y el planeta Mercurio, es el regente de la comunicación y de los afectos profundos.

Un individuo del elemento agua es sensible, pero hermético. Es caritativo, sentimental y frágil, odia las críticas y, por esa razón opta por actuar encubierto para resguardarse. Es cordial, elocuente y a la vez prudente, y sabe vencer los contratiempos sin presumir, con astucia, sagacidad y con perseverancia. De esta forma alcanza sus metas, indirecta y silenciosamente, dando la sensación de ser considerado y comprensivo.

Carecer de energías significa un problema para el elemento agua, si no aprende a nivelar su impotencia con la fuerza que procede de la reflexión y de la comunicación con las zonas profundas de su ser. El pánico es siempre el cordón guía de su vida dramática, a menudo vivida en la oscuridad por el temor a mostrarse y luchar.

En el plano profesional se cohíben por la competencia, sin embargo, rinden bien en lugares despejados y resguardados, como las escuelas, librerías, redacciones o cualquier lugar donde la comunicación, oral o escrita, sea el mecanismo primordial, y en compañía de colegas pacíficos que se ajusten a su personalidad, como, por ejemplo, alguien del elemento madera, con quien coincide el deseo de sabiduría, o con el metal, de quien obtiene decisión. Contrariamente no se adapta al elemento fuego, a quienes extingue y desalienta, ni a los individuos que pertenecen al elemento tierra, con quienes se siente limitado, condicionado, y obstaculizado.

El color negro, es el que les favorece, pero deben usarlo con mesura porque tiende a desanimarlos. Lo mismo sucede con los cuarzos oscuros, que atraen la suerte, como el azabache, el Ónix y la turmalina. Para sacar el mejor provecho de sus cualidades, sin llegar a los extremos, y para no dispersarse, la persona del elemento agua debe comenzar sus planes en el invierno.

En los periodos positivos las relaciones amorosas de este elemento trasmiten ternura, ecuanimidad y cautela, potenciales que les facultan conducirse con la sagacidad necesaria para remediar el origen de sus conflictos cuando aparecen.

Tienen una capacidad increíble para razonar, aunque su personalidad reservada, profunda y turbia los lleva a ser propensos a la melancolía. También presentan falta de seguridad y audacia. La creatividad es una de las principales características que representan a este elemento, también la adaptación, dulzura, piedad y simpatía. Sin agua no existieran los seres vivos en la tierra, este elemento es puro y cristalino, cualidades que tienen quienes pertenecen a este elemento.

Las personas que pertenecen a este elemento son afables y tienen un estupendo dominio sobre los demás. Tienen una intuición original, lo que les permite conquistar rápidamente. La resistencia, y la lucidez les da la oportunidad de predecir eventos.

Pueden percibir las facultades de los demás, inspirarlos de forma efectiva, pero son discretos y no dejarán que otros noten que los están utilizando.

Los abusos con el sodio o los alcaloides, y los prototipos de vida que se apartan de las estructuras comunes son muy perjudiciales para las personas nacidas bajo el elemento agua. Respetar las horas de sueño, mantener una salud mental y emocional relajada, y tener contacto con el agua restaura su armonía, y optimizan sus energías.

Los que pertenecen a un signo del elemento agua pueden tener profesiones afines con la madera y el fuego y ser exitosos, tener trabajos que se relacionen con su propio elemento, y declinar las carreras, funciones y trabajos que se relacionan con la tierra, ya que la tierra somete al agua.

Compatibilidad e Incompatibilidad

Son compatibles:

Rata – Dragón – Mono.

Se relacionan a través de sus personalidades que son muy activas y amistosas. Los tres son esforzados, impacientes, apasionados e intranquilos, y siempre tienen en su mente grandes aspiraciones. Están repletos de ideas, tienen la resistencia y el coraje que se requiere para ejecutarlas, aportando siempre soluciones innovadoras, inesperadas, sorprendentes y poderosas.

Tigre – Caballo – Perro.

Están conectados por la satisfacción que sienten cuando interactúan. Los une su pudor, dignidad, honradez y un obstinado altruismo. Perspicaces, astutos y comunicativos, aunque un poco violentos y estrictos, pelean vigorosamente contra las desigualdades, violencias e ilegalidades. Estos tres signos nunca venden su conciencia.

Buey – Serpiente – Gallo.

A estos tres signos los unen su formalidad, sensatez y la seriedad que alcanzan durante en su vida. Enérgicos, emprendedores e incansables, inflexibles en sus resoluciones, les gusta recapacitar y planificar con tranquilidad antes de obtener compromisos que lamentarían después. Su carencia es la frialdad, ya que para ellos la razón debe predominar sobre las emociones.

Conejo -Cabra -Cerdo.

Tres signos emotivos que además los une su creatividad. Instintivos, susceptibles, sensitivos y retraídos, se acomodan fácilmente a su hábitat, y como buenos aprovechados no les importa depender de los demás. Sus afirmaciones diarias siempre llevan implícitas las palabras: perfección, alianza y conformidad.

Nota: Son enemigos contrarios los signos opuestos:

Rata -Caballo

Buey - Cabra

Tigre - Mono

Conejo - Gallo

Dragón -Perro

Serpiente - Cerdo.

Serpiente

Características

La serpiente tiene facultades paranormales o psíquicas. El conocido sexto sentido, permite que las serpientes presientan los riesgos y se arriesguen a ciegas con nuevos planes, meramente porque han tenido una corazonada.

La serpiente es perceptiva, y es capaz de esclarecer los difíciles actos de los humanos. Esa es la razón por la que encontramos psicólogos, médiums y parapsicólogos entre las personas de este signo.

La serpiente sabe cómo ayudar a quien lo necesite, mientras no afecte su cuenta de banco.

En ocasiones exhibe tendencias al materialismo, y aunque no es avara, le cuesta ser desprendida. Tiene una tendencia a ahorrar excesivamente, y después no encuentra cual es el uso adecuado para ese dinero porque sólo la idea del gasto le causa ansiedad. No obstante, le gusta apostar en algunos juegos, ya que nació con una estrella.

Es posesiva en el amor, y no soporta que su pareja la engañe, por esa razón son celosas. Las serpientes son presumidas, son muy buenas amantes y disfrutan dejarse llevar por el dominio de otra persona de forma tranquila. Son serenas y detestan las sorpresas. Son condescendientes con ellas mismas, pero son muy duras cuando se trata de exigir a los demás.

Las serpientes adoran la abundancia, y estar rodeadas de belleza. Por esta razón, muchas serpientes buscan parejas con estatus económico.

Es poco probable que una Serpiente tenga problemas de dinero, ya que ella consigue lo que necesita en el momento adecuado. Si por casualidad padece de una pérdida económica importante, esa circunstancia no se repetirá ya que la Serpiente asimila ágilmente. Ella puede llegar a remediar las carencias a una rapidez extraordinaria, y en general es muy sensata en las negociaciones.

Cuando una Serpiente se llena de rabia y furia, su resentimiento no tiene límites, su hostilidad furtiva y taciturna se queda intensamente enraizada. Su enfado se revelará más en una humillación, que en una disputa violenta. Ella está siempre un paso adelante de cualquier sospecha y tiene el poder de esperar el momento exacto para una venganza.

En cuanto a las parejas, se guía por sus propias reglas. Disfruta el poder, y todo lo que simboliza, incluyendo evidentemente el dinero, y si ella no puede conseguirlo por sí misma, se casará con quien lo posea o se asociará.

Independientemente de lo próspero, o necesitado que sea su pareja, ella se convertirá en su fuente de capital. Y si por casualidad él o ella no han conseguido un sitio importante, pero posee las habilidades, la Serpiente como sea lo empujará al éxito. Estudiará lo necesario, y procederá como una admirable magistrada, sin dejar de indicarle perspicazmente cada ocasión que se le revele en el camino.

Todas las Serpientes tienen un extenso sentido del humor. En las dificultades, la Serpiente siempre sale con un chiste que levanta los ánimos. Aunque se halle en la peor de las dificultades, la Serpiente nunca dejará de usar esa chispa.

Las mejores relaciones para la Serpiente son el Buey, el Gallo y el Dragón. También forman una buena combinación con la Rata, el Conejo, la Cabra y el Perro.

Debe estar lejos del Tigre que tal vez no estime su sagacidad. El Caballo es una relación vulgar, y la picardía del Mono desafiará el discernimiento de la Serpiente.

Entre dos Serpientes puede darse una armonía apacible, pero con el Cerdo no tienen nada en común.

Serpiente 

Serpiente de Agua

Las Serpientes de Agua son astutas, y activas, pero muy cariñosas. En ocasiones abandonan sus hogares a una edad prematura, para construirse un futuro decente debido a su infortunado tronco familiar.

Estas Serpientes valoran cada oportunidad y se desarrollan en los negocios debido a sus personalidades aventureras. Vivirán una vida sólida en la edad madura después de vivir varios altibajos.

La Serpiente de Agua debe pensar tres veces antes de decidir en que invertir sus energías, porque, aunque son muy comunicativas en diversas situaciones cambian de opinión.

La Serpiente de Agua es la más perspicaz de todas las Serpientes. Sus intereses varían porque su conocimiento es universal, sin embargo, ella trabaja constantemente en sí misma, y siempre esta actualizada. La mayoría de las veces, la Serpiente de Agua se encuentra en la cultura, la cosmografía, y la banca, donde se consagran a vaticinar. Tiene muchos devotos que valoran sus virtudes. Es psicóloga de las personas, y sabe cómo manipularlas.

Es serena e imparcial, pero realmente es vengativa, y si su paciencia infinita se agota, prepárate para una mordida mortífera.

Serpiente de Madera

Las Serpientes de Madera le dan mucha importancia a la organización, y adoran vivir en un medio lujosamente decorado.

Las Serpientes de Madera tienen talento para valorar las artes y son super creativas. Su gusto es delicado y saben diferenciar los buenos trabajos de los malos. Les encanta coleccionar cosas antiguas, y tienen talento para cuidarlas.

La Serpiente de Madera posee unas cualidades sobresalientes, cuando la comparas con las otras Serpientes. Es festiva, humorística, comunicativa y atenta. Siempre está rodeada de muchos amigos que aprecian su sabiduría y capacidad de servicio. Ella también los valora, pero no admite que nadie invada su alma.

Esta Serpiente opta funcionar sola o en un grupo chiquito y afable, donde todos sean iguales, donde nadie de órdenes porque ella odia los sermones. Ella no tolera las discordias y los conflictos.

Es la Serpiente más honrada, con una sabiduría y perspicacia aguda del equilibrio del poder. Necesita una rotunda independencia mental, y es perseverante en sus acciones. La Serpiente de Madera siempre busca y consigue estabilidad mental, emocional y financiera. Esta Serpiente tiene la capacidad de expresar sus ideas con firmeza y puede ser una predicadora convincente.

El elemento Madera hace que la Serpiente sea seductora y encantadora. Ella brilla como un reflector, no persuade a los demás de su ingenuidad, sino que los remolca con ella. Esta Serpiente habitualmente tiene antojos costosos, no obstante, debido a esa vanidad, puede tener una idea equivocada sobre sí misma. A medida que esta Serpiente ambiciona la devoción pública, hará lo imposible para alcanzar el triunfo a largo plazo y en grande.

Serpiente de Fuego

Las Serpiente de Fuego tienen experiencia y sabiduría, piensan más rápido y ven más notoriamente que los demás, y son muy habladoras. Son activas, y aman el drama. Nacen para ser comediantes y danzadores. Saben cómo exponer absolutamente sus sentimientos en las historias, aunque es poco usual que cuenten su vida privada.

Esta Serpiente tiene sus opiniones propias, y no tiene temor de expresarlas. Pero si la molestan, espera adjetivos o calificativos tóxicos y crueles. Estas cosas no se ajustan bien con su aspecto y conducta. Es tratable, asequible y una buena líder.

Esta Serpiente tiene muchas amistades que la admiran de corazón por su asombroso sentido del humor, la capacidad de colocar una palabra perspicaz, e impedir repentinamente cualquier burla. La Serpiente de Fuego debe aprender a ser flexible con las faltas de las otras personas.

Esta Serpiente es vigorosa, mental y físicamente. Tiene Fuego de sobra, y esto la hace ardiente y ansiosa. Seductora a los ojos de todos, y equipada de gracia, puede hipnotizar a cualquier persona. Personifica la confianza en sí misma y puede ser líder.

La Serpiente de Fuego puede batallar abiertamente, y es por naturaleza extraordinariamente suspicaz, confiando solo en ella misma. Es descomunalmente rápida para castigar, es fuerte, dotada de un afán extravagante de notoriedad, riqueza y poder, y por lo tanto insiste en resultados precisos.

Serpiente de Tierra

Las Serpientes de Tierra saben controlar sus sentimientos porque son muy razonables. Sus relaciones románticas son intensas, sufren de muchas rupturas sentimentales al largo de sus vidas, pero pueden recuperarse rápidamente debido a su raciocinio.

Las Serpientes de Tierra no les gusta que las controlen, nunca debes cuestionarlas. Tienen muchas posibilidades para ganar dinero, no obstante, es muy difícil para ellas ahorrarlo. A veces cometen tantos errores que pierden de vista oportunidades genuinas. Ellas deben ser más estables y eficientes.

La Serpiente de Tierra siempre es orientada. Nunca esta apurada porque de esta forma evita no dar pie con bola. Cumplirá todas las tareas con exactitud, y pretenderá mucho más si su trabajo es apreciado. Se puede confiar en esta Serpiente en los negocios, específicamente en trabajos que requieran exactitud y honradez.

Las Serpientes de Tierra son bondadosas, y tienen la capacidad de empatizar con los demás. Ella posee muchas amistades amigos, y es protectora de su familia.

Es una Serpiente sincera, tiene principios, valores y es porfiada. Por su facultad de ver las cosas antes que los demás, e intereses sinuosos congénitos, sabe coger el mando y resolver cualquier situación donde reine el caos. Una Serpiente de Tierra es difícil de frenar, y nunca le interesa la opinión pública.

Esta Serpiente es constante en sus opiniones y siempre se reserva la facultad de elegir sus propias decisiones. Ella posee una gracia innata para estar a la moda, y sabe cómo usarlas.

Serpiente de Metal

La Serpiente de Metal se respeta a sí misma, es muy valiente y capaz, y están rodeadas de muchos seguidores de todas las áreas de su vida. La mayoría de ellas tienen un aspecto majestuoso, siendo super elegantes.

Estas Serpientes poseen mucha confianza en sí mismas y dan la sensación de ser arrogantes. Se siente cómoda haciendo todo por sí sola. Es una estratega genial, con un olfato refinado de cuándo, y como esforzarse para obtener beneficios. Solo está interesada en sus amistades y familiares, los demás son indiferentes para ella.

Esta Serpiente tiene una mente sutil, y una indomable fuerza de voluntad. Es muy exquisita en sus gustos, vigilando correctamente todas las ocasiones y oportunidades, para dar el próximo paso. A ella le gusta desplazarse con rapidez y en silencio, conoce cómo tomar una posición beneficiosa antes de que nadie pueda frenarla.

Una Serpiente de Metal siempre trata de obtener el mayor beneficio de todo lo que halla en su vida, siendo más prudente, ambigua y constante que las otras Serpientes. Esta Serpiente sabe deshacerse de sus oponentes, y de las personas que la envidian.

Predicciones 2024

Serpiente 

Prepárate para el 2024, porque tu carisma aumentará y te convertirás en el alma de todas las reuniones. Atraerás a la gente sin el menor esfuerzo. Todos te invitarán y querrán estar contigo. Sabrás moverte con gente influyente, y este año tu ambición se verá recompensada. Ten cuidado con quien hablas, con qué tipo de personas te relacionas, sino quieres cometer errores. Te encontrarás con gente nueva, que te abrirán las puertas de nuevos ambientes y negocios, pero una vez más, el consejo es que no te precipites y analices bien con quien te asocias, sino quieres caer en las redes de un depredador. Será un año fabuloso para ti.

Buen año para el amor. Si tienes pareja, vas a ser feliz, pero vas a analizar discretamente tu relación. Verás claramente lo que debes cambiar, para ser plenamente feliz. Tendrás la certeza de si debes continuar o si debes romper. Si estás soltero, tu intención es conquistar a todo el que puedas. Estás dispuesto a seducir, a enamorar y a divertirte. No hay quien pueda frenar tu pasión.

Algunos podrían encontrar a la persona adecuada y vivir un amor pasional precioso. Si tienes novio/a, este va a ser un año definitivo en tu relación, ya que podrías darte cuenta, que es la persona de tu vida y decidas comprometerte o incluso casarte o te des cuenta, que no es la persona adecuada para ti y decidas romper. Si es así rompe cuanto antes y pasa la página y bota el libro. Sino no lo haces quedarás atrapado en una relación tóxica e infeliz, que no te llevará a ningún lado.

A ti te gusta mucho el dinero, sabes cómo ganarlo, pero se te va de las manos con facilidad. Este año, se moverán energías poderosas, y tendrás que aprender a retenerlo, reflexionar y pensar bien cómo gastarlo o invertirlo, antes de hacer cualquier tipo de movimiento, de lo contrario perderás tu estabilidad económica. No contraigas deudas, si ya las tienes págalas, debes invertir en el sector inmobiliario. Se cuidadoso con tus gastos y te irá bien.

Este año te llegarán muchas oportunidades, pero debes consultar con tu familia antes que tomar decisiones. Podrías comprarte tu propia casa, o tener un hijo.

Si te cuidas, tu salud será buena. No cometas excesos con las comidas, las bebidas y respeta las horas del sueño. Cuida a tu cuerpo, tu sistema digestivo y en especial los intestinos. Con una alimentación adecuada, todo irá bien.

Si sientes molestias en tu vista, o dificultad por enfocar tu visión, acude al Oftalmólogo, para que te diagnostique. Si no lo atajas rápido podrías tener fuertes dolores de cabeza, que te van a impedir trabajar con normalidad.

Durante el año del Dragon de Madera deben hacerse respetar, mostrarse honorables y tener cuidado con las intrigas en las que pueden involucrarlos. La serpiente tiene un profundo conocimiento de la naturaleza humana y van a ver venir a las personas con malas intenciones y sabrán como tratarlas.

Combinación de los Signos Zodiacales con el Horóscopo Chino

Cuando combinas los horóscopos Orientales y Occidentales, es increíble la conexión que existe y lo certeros que son.

El horóscopo chino y el occidental son los que más se utilizan. Si tienes la posibilidad de entenderlos profundamente esto te facilitará utilizarlos y tener un enfoque centralizado.

Ambos horóscopos están basados en la posición de las estrellas, pero en el horóscopo chino se utilizan 28 constelaciones, y en el occidental 88. Los dos coinciden en que tienen12 segmentaciones esenciales. El horóscopo chino está fundamentado en 12 animales que gobiernan cada año, y el occidental en 12 signos que rigen cada mes.

El Horóscopo chino se basa en el calendario lunar, y es el horóscopo más viejo que se conoce hasta ahora. Probablemente tu signo zodiacal coincida con tu signo en el horóscopo chino, pero eso no ocurre con frecuencia. Si ese fuera el caso las predicciones serían más certeras.

Existe una equivalencia entre los signos de ambos horóscopos:

Aries/Dragón, Tauro/Serpiente, Géminis/Caballo, Cáncer/ Cabra, Leo / Mono, Virgo/ Gallo, Libra / Perro, Escorpión / Cerdo, Sagitario / Rata, Capricornio/Buey, Acuario / Tigre, y Piscis / Conejo.

Combinaciones

Serpiente

Aries / Serpiente

Esta es una persona con una fuerza de voluntad extraordinaria. Es pausado y metódico, y nunca confía en la opinión de otras personas. Sobresal su actitud de ser prudente y de siempre intuir lo que es mejor en una determinada situación.

La Serpiente sabia le otorga a Aries el don de la intuición y con esto le garantiza el éxito. Sus decisiones son siempre precisas y oportunas, obtienen con facilidad todo lo que planifican. Tienen una facultad increíble de influir en el destino de toras personas.

Tauro /Serpiente

Estas personas dan la sensación de ser personas positivas, pero necesitadas de cariño. Los aman por temperamento equilibrado. Tienen una paciencia infinita y por esa razón siempre cumplen sus metas.

La unión entre el Tauro esforzado y la Serpiente inteligente es exitosa, es una energía reforzada con pragmatismo, serenidad y sensatez.

Géminis/ Serpiente

Estas son personas repletas de entusiasmo y optimismo. A pesar de su versatilidad no es superficial, sino más bien proclive a la abstracción y el razonamiento.

Las personas de esta combinación son organizadas, lo cual no es característico del signo Géminis. La unión de la Serpiente y Géminis es interesante ya que estos dos signos se mejoran entre sí. Sin embargo, pueden ser exigentes.

Cáncer /Serpiente
Esta unión da un individuo misterioso. La peculiaridad principal es su intuición. No tolera las críticas poco agradables sobre sí mismo, aunque es una persona atractiva y divertida que sabe cómo agradarle a los demás.

Es muy inteligente, sensible, y correcto, por lo ende, las conversaciones con él están llenas de energías positivas.

Leo /Serpiente
Esta mezcla da individuos carentes de pragmatismo. Ellos participan activamente en la vida de las demás personas. Es una persona muy fuerte que siempre requiere requisitos excesivos. Ellos piensan que son la última coca cola del desierto, por ende, siempre le están reclamando a los demás, aunque lo hacen con tacto y diplomacia.

Es una personas muy sociable, comunicativo, cortés, pero esconde esmeradamente sus verdaderos sentimientos.

Virgo/ Serpiente

De esta combinación se da una persona tranquila que infunde confianza en las demás personas. Es notable no solo su belleza externa sino también sus buenos modales y educación. Tiene una intuición super desarrollada y una mente metódica. Dedica mucho tiempo a reflexionar para poder sacar conclusiones.

Es una persona un poco silenciosa, pero cuando se comunica es interesante ya que disfruta de las bromas y comparte temas neutros.

Libra/ Serpiente

Ese es el individuo más diplomático que existe sobre la faz de la tierra. Es una mezcla afamada porque estas personas son muy tranquilas y ecuánimes. Son super son educados, y respetan las opiniones de los demás.

Ellos no requieren aprobación exterior porque tienen mucha confianza en sí mismos. Son fáciles de tratar, son optimistas sobre el futuro, y con su encanto atraen a todo tipo de personas a sus vidas.

Sin embargo, no son tan inocentes como parecen, su sabiduría pasa todos los límites, y sus puntos de vistas son de otros mundos.

Escorpio/ Serpiente

Esta mezcla es propensa a acciones impredecibles. Su voluntad es muy fuerte.

Es literalmente imposible confundir a esta combinación porque ellos siempre actúan de acuerdo con sus propios ideales. Exclusivamente hace lo que piensa que es necesario, y en el proceso aflige a los demás. Todo el que la rodea tiene que someterse a su voluntad, y si hacen lo contrario te conviertes en su enemigo. Simultáneamente busca su paz interior.

Sagitario /Serpiente

Esta combinación es la más atractiva y sociable de todas las Serpientes. Es carismática, pero llena de contradicciones. Es inteligente, y perspicaz, pero con capacidad de tomar decisiones precipitadas, porqué es también emocional e impulsiva.

Los que lo rodean casi nunca los entienden y tampoco aprueban su estilo de vida tan raro.

Capricornio/ Serpiente

Esta persona tiene un intelecto desarrollado, es sensata y tiene una sangre fría que asusta. Es totalmente indiferente a los demás, y nunca necesita su apoyo.

En ocasiones reacciona con furia cuando la critican. Tiene una mente super dotada, y siempre calcula cualquier situación por adelantado. Es muy controlada, nunca se da el lujo que las emociones la dominen, pero por supuesto tiene muchos defectos que la hacen ser una persona común.

Acuario /Serpiente

Esta mezcla se pasa la vida añorando nuevas experiencias. Esta combinación es simpática ya que es una persona eficiente con un pensamiento transformador.

Tiene destrezas prominentes y aptitudes incomparables. Lo más importante para ellos es no parecerse a nadie. Tienen una energía con tal magnitud que superan con facilidad cualquier obstáculo.

Piscis /Serpiente

Aquí tenemos una persona moderada y educada. Considerada un modelo de justicia.

La Serpiente le da respetabilidad, poderío y firmeza. Es distinguida por su cortesía y paciencia, también por sus caprichos y sus deseos de venganza si te atraviesas en su camino. Es muy efusiva, y desea vivir pasiones las 24 horas del día.

La Decoración de tu Hogar de acuerdo con el Feng Shui

El Feng Shu es una filosofía China que examina el entorno, basándose en la teoría del Yin y el Yang, y los Cinco Elementos.

Los expertos han demostrado que zonas de la antigua china eran escogidas regularmente en territorios que están circundados de montañas y tenían un río. Solamente no era porque esas zonas proporcionaban los criterios primordiales para sobrevivir, sino que lo hacían para cumplir con los patrones que establece el Feng Shui.

La idea principal del Feng Shui es lograr el equilibrio entre la humanidad y el Universo. Si existen buenas energías, hay equilibrio, ya que el Feng Shui incide en el destino de cada persona.

A través del estudio del Feng Shui, los seres humanos pueden trabajar en su compatibilidad con la naturaleza, su entorno y sus vidas, para lograr más prosperidad, y salud en la vida.

Teoría de los Cinco Elementos

La teoría de los Cinco Elementos es un componente del Feng Shui. Estos Elementos son importantes para precisar el Feng Shui adecuado en un espacio determinado. Estos elementos son: Fuego, Tierra, Metal, Agua y Madera, y cada uno tiene una particularidad que simboliza aspectos concretos de la vida.

Los Cinco Elementos son la expresión que utiliza el Feng Shui para explicar la estructura de la naturaleza, y estos elementos actúan en conjunto y siempre deben estar equilibrados.

El Feng Shui para los Doce Signos del Horóscopo Chino

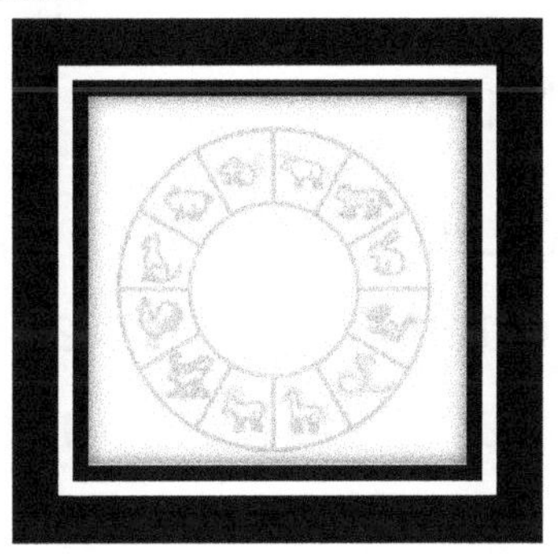

Signo de la Rata

El Agua favorece a las personas que nacieron bajo el signo de la Rata, las ayuda a obtener prosperidad. Para obtener abundancia deben poner una pecera con peces dorados en la parte Norte de su oficina.

Signo del Buey

Las personas de este signo lograrán obtener prosperidad si utilizan el elemento Fuego. Para lograrlo deben poner artículos de porcelana o cerámica en sus negocios u oficinas, y en su hogar.

Signo del Tigre

El elemento tierra es el que deben utilizar los individuos que pertenecen al signo del Tigre. Deben agregar algo relevante que simbolice este elemento tierra. Una maceta con una planta, o una flor natural que crezca puede traerle la prosperidad sus vidas.

Signo del Conejo

Para tener suerte y atraer la abundancia, las personas del signo del Conejo requieren un elemento secreto de tierra en sus vidas. Debe esconder un cuarzo de jade o de Citrina en la parte Noreste de su casa u oficina.

Signo del Dragón

El Noroeste es excelente para los que nacieron bajo el signo del Dragón. En esta dirección deben poner un recipiente con agua clara mezclado con un poquito de tierra. Otra opción es colocar una Flores de Loto en un cuenco.

Signo de la Serpiente

La prosperidad llegará a la vida de los individuos que pertenecen al signo de la Serpiente si utilizan objetos de Metal, específicamente el Oro y la Plata, en su hogar u oficinas.

Signo del Caballo

El Noroeste es la posición recomendada para las personas del signo del Caballo para obtener un gran capital. Deben poner una rana de Metal en el Noroeste de su hogar o negocio.

Signo de la Cabra

El Norte es el punto cardinal apropiado para las personas que nacieron bajo el signo de la Cabra.

Deben poner una cajita de madera, u otro objeto de madera, en el Norte de sus oficinas u hogar.

Si utilizan una cajita de Madera, adentro deben poner un objeto afín a su profesión en la misma. Por ejemplo, un escritor puede colocar un lápiz en la cajita.

Signo del Mono

Para que la prosperidad llegue a la vida de las personas que nacieron bajo el signo del Mono, deben colocar en la parte Oeste de la casa o el negocio, una planta de su tamaño, o más grande, en ese punto cardinal.

Signo del Gallo

La buena suerte llegará a la vida de los que pertenecen al signo del Gallo, si colocan algunas semillas en un vaso, botella o tazón de color rojo oscuro. No deben utilizar nada de Metal.

Signo del Perro

Las personas que pertenecen al signo del Perro deben prescindir los elementos Agua y Tierra en sus vidas. Pueden poner troncos o ramas de plantas en su oficina u hogar, pero no pueden ponerlo en Agua o Tierra.

Signo del Cerdo

Las personas que nacieron bajo el signo del Cerdo requieren el elemento Fuego en sus vidas para traer la buena suerte. Pueden colocar una bandeja de cerámica, u otros artículos hechos de barro en sus casas.

Feng Shui 2024

Este año del Dragón debes utilizar brazaletes o pulseras de Perlas.

Debes colocar un amuleto con una figura del Dragón o una campana de viento de la fortuna del Feng Shui con cristales y colocarla en el sureste de tu hogar o en la zona familiar de tu dormitorio, u oficina.

No te olvides de decorar tu hogar con plantas verdes, flores naturales de diferentes colores, fotos, cuadros, o imágenes que caractericen paisajes, y jardines

También debes utilizar decoraciones de madera, y no coloques fotos de familiares fallecidos con las fotos familiares actuales ya que la vibración de esas fotos es de dolor y te quita energías.

Realmente el Año Nuevo Chino posee muchas tradiciones para despedir lo viejo y darle paso a lo nuevo. Una tradición que recomendamos es no cocinar en la cocina de tu hogar el primer día del Año Nuevo Lunar Chino ya que atrae mala suerte sacar instrumentos afilados como los cuchillos. Esto puede cortar la buena suerte para el resto del año.

Los primeros 15 días del Año Nuevo Chino se celebran, y aunque es cierto que en ocasiones nos falta tiempo para hacerlo, es recomendable hacer los preparativos con anticipación.

Si logras estar preparado con antelación esto te ayudará a atraer la prosperidad. Este año, los dos días anteriores al Año Nuevo Chino, es decir el jueves 8 de febrero del 2024 comienza a hacer una limpieza profunda de tu hogar. No olvides que limpiar el primer día del Año Nuevo es considerado de mala suerte porque estarías barriendo toda tu buena suerte por la puerta principal.

La noche anterior al Año Nuevo chino, el viernes 9 de febrero del 2024, planifica y escribe todas tus metas para el año, si no lo hiciste el 1 de enero.

Escribe absolutamente todos tus deseos después de la Luna Nueva del viernes 02/09/2024 a las 5:58 pm EST. ¿Qué metas quieres lograr en tu vida profesional, tu área de las finanzas, tu vida amorosa, y vida familiar? Escribe una lista para cada área de tu vida que deseas mejorar.

Si puedes comprarte un cofre de madera sería ideal porque adentro puedes poner tu lista de deseos conjuntamente con un cuarzo pirita y una citrina, conocidos como piedras que atraen la prosperidad y abundancia. Debes colocar adentro del cofre tres monedas chinas, porque son símbolos tradicionales de abundancia.

Todo lo que vas a poner adentro de ese cofre va a proteger tus deseos y amplificar las energías de la prosperidad. Este cofre lo debes guardar en un lugar especial y seguro, si es en alto mucho mejor porque de esa forma podrás atraer energías positivas desde una posición prominente.

No te olvides de ponerte ropa nueva porque eso representa las nuevas energías que quieres atraer a tu vida. Debes ponerte algún detalle de color rojo.

Específicamente el día de año nuevo trata de no estar disgustado, si es posible coge ese día libre para que no tengas ansiedad con el tráfico o preocupaciones. Recuerda pasar por el mercado y comprar una bolsa con naranjas porque eso simboliza la entrada de la prosperidad a tu hogar en el nuevo año.

Consejos para el Año 2024

Éste es un año espectacular para tu crecimiento personal, por eso debes aprovechar las oportunidades que se presenten, y no solo desarrollar tus habilidades, sino también aprender otras nuevas.

Todo lo que hagas este año 2024 será una inversión para tu futuro. Será un año bastante movido, pero las energías son alentadoras ya que el año del Dragón te dará la oportunidad que necesitas para triunfar. Sin embargo, para beneficiarte, debes asesorarte sobre todas las opciones que tienes a tu disposición y analizar todas las posibilidades.

Debes estar atento y disponible para escuchar todos los consejos, y la ayuda disponibles. Con fuerza de voluntad e iniciativas, se te abrirán nuevas puertas.

Este año del Dragón hay mucho que aprender, pero si aceptas el reto podrás no sólo avanzar en tu profesión y aumentar tus ingresos, sino que también adquirirás valiosas experiencias.

En el año del Dragón no solo disfrutarás de mayores ganancias económicas, sino que, con tu carácter emprendedor, encontrarás un pasatiempo que te aportará bienestar.

Sin embargo, necesitas mantener la disciplina en tus gastos y presupuestar con cuidado, especialmente si estás involucrado en transacciones muy grandes.

Si durante el año tuvieras que firmar contratos o llegara acuerdos importantes, debes comprobar los términos y todas las implicaciones.

Para rendir al máximo, debes mantener un estilo de vida equilibrado y hacer ejercicios, respetar tus horarios del sueño y comer sanamente. Será beneficioso que hagas nuevas amistades.

En el año del Dragón, la vida puede actuar misteriosamente, y atraer eventos fortuitos que te darán muchas posibilidades. El azar juega un papel importante este año en tu vida, transformando tu economía situación. Después de mayo habrá mucha actividad social, y podrán divertirse mucho.

Será un año gratificante, habrá decisiones que tomar, compras que hacer y placeres que disfrutar.

Los que tienen pareja se darán cuenta que cuando se unen logran más triunfos.

Es un año en el que la habilidad para percibir las oportunidades reportará muchos beneficios, el Año del Dragón tiene un gran potencial, por eso hay que permanecer abierto a las oportunidades y estar preparado para los cambios y para adaptarse. El año del Dragón recompensará a los emprendedores.

Esa misma tarde, antes de que comience el año, debes limpiar tu casa, abrir todas las ventanas para que se ventile, y poner flores blancas y amarillas en todas las áreas comunes de tu hogar. Específicamente en la entrada debes colocar incienso de canela, sándalo, eucalipto o lavanda, o un sahumerio de Palo Santo, Salvia Blanca o Vainilla.

Debes sahumar bien la casa. Sahumar es la acción de crear humo, generalmente usando inciensos, para aromatizar el medio ambiente, y para emplearlo como un instrumento de depuración y limpieza. Su particularidad es que expulsan una fragancia placentera, a la cual se le adjudican propiedades relajantes. Muchas personas usan los sahumerios con el objetivo de cambiar las vibraciones energéticas de su hogar.

Si tienes un sahumerio que vas a pasar por toda la casa, recuerda que debes realizar movimientos circulares hacia la derecha. Si tienes la intención de purificar un área personal, debes comenzar por tu propio cuerpo comenzando por tus pies hasta la cabeza, y después regresar a la parte del corazón, siempre haciendo círculos leves.

Como este es el año del Conejo es recomendable tener un par de conejos de metal o madera en tu hogar, y si tienes la posibilidad, algunos de cristal ya que estos representan el elemento del año: el agua.

Sino tienes esa oportunidad entonces puedes simbolizarlo con imágenes, retratos, o figuras. Considéralo un talismán de la suerte, porque al final el conejo se esfuerza para salvaguardar la prosperidad. Traerá mucha riqueza a tu hogar.

Otra recomendación para el 2024 es que pintes alguna de las paredes de tu hogar de azul celestial. Este color es uno de los colores de la prosperidad para este nuevo año. Mucho cuidado con atiborrar tu casa de azul, nunca debes olvidar que mantener el equilibrio es lo más importante. Si te excedes en el color azul estarás atrayendo desánimo o apatía.

Otra alternativa u opción, es llevarlo contigo, en forma de brazalete, aretes colgantes, péndulos, dormilonas, en un anillo, llavero o un talismán dentro de tu bolsillo, o cartera. Si tienes las dos cosas el conejo y el agua, esto formará una asociación de riqueza, resguardo y buena suerte en tu vida, en tu hogar u oficina. Ten en mente siempre que todo se acompaña de constancia y esfuerzo.

Si puedes comprarte unas plantas como la Albahaca que tiene una gran capacidad de generar abundancia, además de su poder para alejar y trasmutar las malas vibraciones, no te arrepentirás. Tener Jazmín sería otra buena opción, tu hogar estará siempre aromatizado y con buenas vibraciones. Debes tener jazmines frescos en tu casa siempre que tengas la posibilidad, pero lo más vital es que el primer día del año chino estén en cualquier rincón de tu hogar.

Rituales para comenzar el Nuevo Año Chino 2024

El Año Nuevo Chino debes recibirlo con alegría, música y una espléndida comida familiar. Es un período para festejar, y concentrarse en la suerte y prosperidad para el próximo año.

Debes usar ropa nueva porque esto simboliza un nuevo comienzo.

Un color resonante, como el rojo, que generalmente representa la armonía, buena suerte y bienestar, es genial para este día.

Evita ponerte blanco o negro durante la espera del Año Nuevo, ya que estos son los colores que usualmente las personas visten para los funerales.

Hacer una limpieza para estar preparado para el Año Nuevo Chino, en forma de ritual, es muy beneficioso.

Con esta limpieza se intenta alejar los malos espíritus que podrían estar escondidos en las esquinas de la casa.

Usualmente las personas cambian los muebles o los mueven de lugar, retocan la pintura de su hogar, reparan lo que esta dañado, y lavan las ventanas con agua abundante.

Rituales de Purificación Energética

Esa misma tarde, antes de que comience el año, debes limpiar tu casa, abrir todas las ventanas para que se ventile, y poner flores blancas y rojas en todas las áreas comunes de tu hogar.

Específicamente en la entrada debes colocar incienso de canela, sándalo, eucalipto o lavanda, o quemar hojas de laurel. El Laurel es una planta que tiene la capacidad de proteger, purificar y curar. Otra forma de atraer energías positivas a tu hogar es combinando la canela con el laurel. Quema las hojas de laurel y disemina canela en polvo sobre ellas. Cuando esta mezcla este encendida, esparce el humo por todas las habitaciones de tu casa.

Debes sahumar bien la casa. Sahumar es la acción de crear humo, generalmente usando inciensos, para aromatizar el medio ambiente, y para emplearlo como un instrumento de depuración y limpieza.

Su particularidad es que expulsan una fragancia placentera, a la cual se le adjudican propiedades relajantes.

Muchas personas usan los sahumerios con el objetivo de cambiar las vibraciones energéticas de su hogar.

Si tienes un sahumerio que vas a pasar por toda la casa, recuerda que debes realizar movimientos circulares hacia la derecha.

Si tienes la intención de purificar un área personal, debes comenzar por tu propio cuerpo comenzando por tus pies hasta la cabeza, y después regresar a la parte del corazón, siempre haciendo círculos leves.

Como este es el año del Dragón de madera verde es recomendable tener un par de dragones de madera en tu hogar. Sino tienes esa oportunidad puedes simbolizarlo con imágenes, retratos, o figuras.

Otra recomendación para el año 2024 es pintar alguna de las paredes de tu casa de color verde.

Este color simboliza prosperidad para este año. No saturares tu casa de verde, recuerda mantener el equilibrio. Si te excedes en el color verde atraes stress a tu vida.

Otra alternativa u opción, es llevarlo contigo, en forma de brazalete, aretes colgantes, péndulos, dormilonas, en un anillo, llavero o un talismán dentro de tu bolsillo, o cartera, esto formará una asociación de riqueza, resguardo y buena suerte en tu vida, en tu hogar u oficina.

Si puedes comprarte unas plantas como Lavanda, Ruda o la planta del dinero, que tienen capacidad de generar abundancia, además de su poder para alejar y trasmutar las malas vibraciones, no te arrepentirás.

Como el agua es el elemento que complementa la madera, una fuente de agua en la entrada de tu hogar te va a atraer prosperidad. No olvides que el agua debe fluir hacia el interior.

Colocar una fuente de agua en el área de la riqueza de tu casa, localizada en la parte izquierda, al fondo, mirando desde la puerta de entrada, te traerá muchas ganancias materiales.

Junto con el verde, el rojo es el color de la suerte para este año 2024, debes utilizarlo en tu casa para que actives las energías de la buena suerte. Puedes usar el color rojo en tu ropa, o con alguna otra prenda como una bufanda, una gorra o una pulsera para que puedas atraer el dinero.

El Año Nuevo Chino debes recibirlo con alegría, música y una espléndida comida familiar. Es un período para festejar, y concentrarse en la suerte y prosperidad para el próximo año. Debes usar ropa nueva porque esto simboliza un nuevo comienzo.

Un color resonante, como el rojo, que generalmente representa la armonía, buena suerte y bienestar, es genial para este día.

Evita ponerte blanco o negro durante la espera del Año Nuevo, ya que estos son los colores que usualmente las personas visten para los funerales.

Hacer una limpieza para estar preparado para el Año Nuevo Chino, en forma de ritual, es muy beneficioso. Con esta limpieza se intenta alejar los malos espíritus que podrían estar escondidos en las esquinas de la casa.

Usualmente las personas cambian los muebles o los mueven de lugar, retocan la pintura de su hogar, reparan lo que esta dañado, y lavan las ventanas con agua abundante.

Acerca del Autor

Además de sus conocimientos astrológicos, Alina Rubí tiene una educación profesional abundante; posee certificaciones en Sicología, Hipnosis, Reiki, Sanación Bioenergética con Cristales, Sanación Angelical, Interpretación de Sueños y es Instructora Espiritual. Ella posee conocimientos de Gemología, los cuales usa para programar las piedras o minerales y convertirlos en poderosos Amuletos o Talismanes de protección.

Rubí posee un carácter práctico y orientado a los resultados, lo cual le ha permitido tener una visión especial e integradora de varios mundos, facilitándole las soluciones a problemas específicos. Alina escribe los Horóscopos Mensuales para la página de internet de la American Asociation of Astrologers, Ud. puede leerlos en el sitio www.astrologers.com. En este momento escribe semanalmente una columna en el diario El Nuevo Herald sobre temas espirituales, publicada todos los viernes en forma digital y los lunes en el impreso. También tiene un programa y el Horóscopo semanal en el canal de YouTube de este periódico. Su Anuario Astrológico se publica todos los años en el periódico “Diario las Américas”, bajo la columna Rubi Astrologa.

Rubi ha escrito varios artículos sobre astrología para la publicación mensual "Today's Astrologer", ha impartido clases de Astrología, Tarot, Lectura de las manos, Sanación con Cristales, y Esoterismo. Tiene un video semanal sobre temas de astrología en el canal de YouTube del Nuevo Herald. Tuvo su propio programa de Astrología trasmitido diariamente a través de Flamingo T.V., ha sido entrevistada por varios programas de T.V. y radio, y todos los años se publica su “Anuario Astrológico” con el horóscopo signo por signo y otros temas místicos interesantes.

Es la autora de los libros “Arroz y Frijoles para el Alma” Parte I, II, y III una compilación de artículos esotéricos, publicada en los idiomas inglés y español, “Dinero para Todos los Bolsillos”, “Amor para todos los Corazones”, “Salud para Todos los Cuerpos, Anuario Astrológico 2021, Horóscopo 2022, Rituales y Hechizos para el Éxito en el 2022 Hechizos y Secretos, Clases de Astrología, Rituales y Amuletos 2024 y Horóscopo Chino 2024 todos disponibles en siete idiomas.

Tiene su canal de YouTube con temas de psicología, esoterismo y astrología, donde puedes disfrutar de videos sobre las almas gemelas, la rencarnación, el lenguaje corporal, los viajes astrales, el mal de ojo, los hechizos y muchos temas más.

Rubi habla inglés y español perfectamente, combina todos sus talentos y conocimientos en sus lecturas. Actualmente reside en Miami, Florida.

Para más información pueden visitar el website www.esoterismomagia.com

Angeline A. Rubi es la hija de Alina Rubi. Desde niña se interesó en todos los temas esotéricos y practica la astrología y Kabbalah desde los cuatro años. Posee conocimientos del Tarot, Reiki y Gemología. No solo es autora, sino editora de todos los libros publicado por ella y su mamá.

Para más información pueden contactarla por email: rubiediciones29@gmail.com

Milton Keynes UK
Ingram Content Group UK Ltd.
UKHW050905071223
433828UK00008B/456